GEORGE RODGER EN AFRIQUE

GEORGE
RODGER
EN AFRIQUE

Carole Naggar

Édité avec le concours
du Centre National des Arts Plastiques

HERSCHER

Remerciements :

Mes remerciements vont à ceux qui ont rendu ce livre possible. Pierre Gaudibert et Nicole Potsnikowa, qui m'ont permis une première approche des archives africaines de Rodger à l'occasion du premier Festival Africain de la ville de Grenoble. Peter Rodger, qui en montant le film de son père sur l'Afrique, m'a ouvert de nouvelles perspectives pour le texte.

Jinx Rodger, pour la précision de ses légendes et la chaleur de son hospitalité à Smarden. Jimmy Fox, Natacha Chassagne et l'agence Magnum, pour leur aide. Raymond Depardon, pour ses encouragements.

William Betsch, pour sa relecture attentive des textes dans une perspective critique, et Jean-Louis Paudrat pour la sienne dans une perspective d'exactitude ethnographique.

Georges Herscher et son équipe pour leur enthousiasme, Jacques Maillot et Pascale Ogée pour leur maquette. Et bien sûr, m'zee George Rodger, pour sa patience et son humour à toute épreuve.

Carole Naggar
Paris, le 16 avril 1984

Les photographies, prises dans leur grande majorité entre 1940 et 1955, ont été développées avec des moyens de fortune : elles en portent les marques. Certaines, qui figuraient dans les archives de Rodger, n'avaient jamais été tirées jusqu'ici.
Sauf dans quelques cas extrêmes, on a choisi de ne pas retoucher et de leur conserver leur caractère de document.

Dans le texte et les légendes, nous avons, respectant la volonté du photographe, utilisé les noms de pays qui étaient en usage au moment de la prise de vue. Certains de ces pays portent maintenant d'autres noms : le Swaziland est devenu Ngwane, le Tanganyika : Tanzanie, le Basutoland : Lesotho, la Rhodésie du Sud : le Zimbabwe, et la Rhodésie du Nord : la Zambie.

C.N.

ISBN : 2 7335 0073-2
Dépôt légal : 0068-3ᵉ trimestre 1984

Sommaire

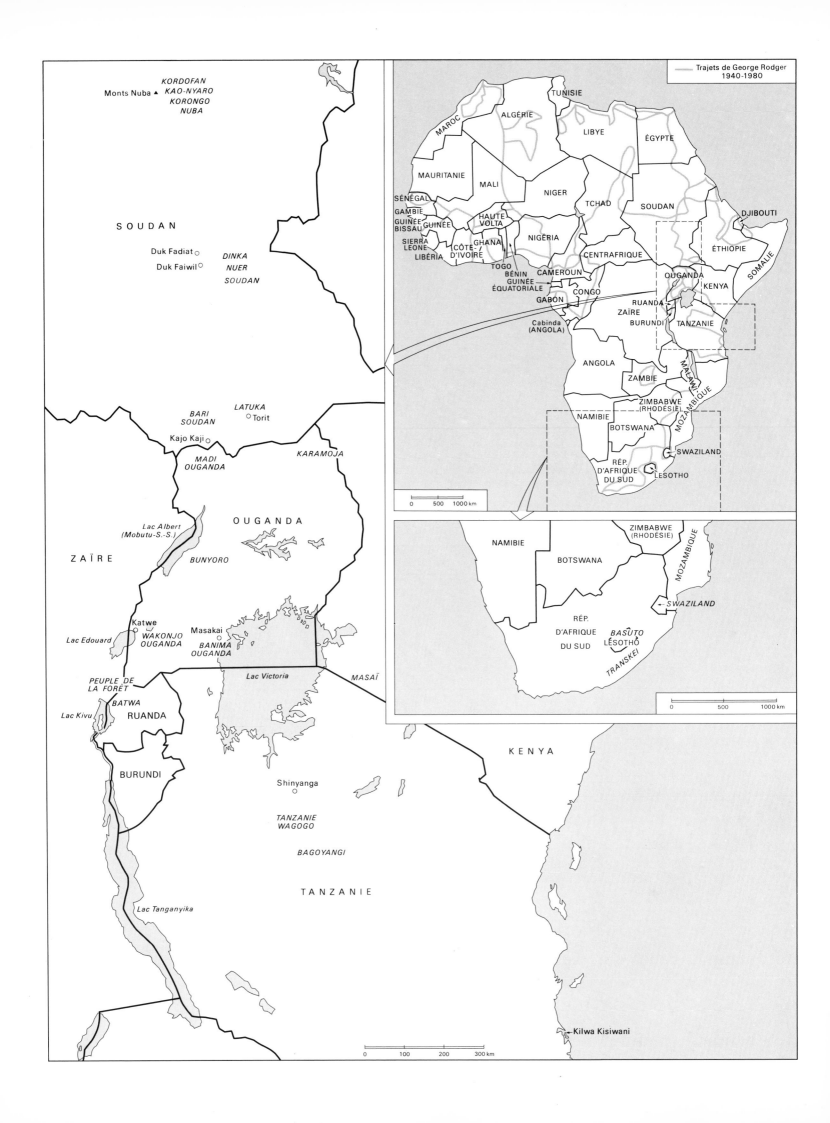

KORDOFAN
Monts Nuba ▲ KAO-NYARO
KORONGO
NUBA

TUNISIE
MAROC ALGÉRIE
LIBYE ÉGYPTE
MAURITANIE MALI
NIGER TCHAD SOUDAN DJIBOUTI
SÉNÉGAL
GAMBIE HAUTE ÉTHIOPIE
GUINÉE- GUINÉE VOLTA
BISSAU NIGÉRIA
SIERRA CÔTE- GHANA CENTRAFRIQUE
LEONE D'IVOIRE OUGANDA
LIBÉRIA TOGO KENYA
BÉNIN CAMEROUN SOMALIE
GUINÉE-
ÉQUATORIALE
GABON CONGO RUANDA
ZAÏRE
Cabinda BURUNDI TANZANIE
(ANGOLA)

ANGOLA
ZAMBIE MALAWI
MOZAMBIQUE
ZIMBABWE
NAMIBIE (RHODÉSIE)
BOTSWANA
SWAZILAND
RÉP.
D'AFRIQUE LESOTHO
DU SUD

0   500   1000 km

SOUDAN

Duk Fadiat ○ DINKA
Duk Faiwil ○ NUER
SOUDAN

LATUKA
BARI ○ Torit
SOUDAN
Kajo Kaji ○
MADI KARAMOJA
OUGANDA

Lac Albert OUGANDA
(Mobutu-S.-S.)
ZAÏRE BUNYORO

Katwe
Lac Edouard WAKONJO Masakai
OUGANDA BANIMA
OUGANDA
PEUPLE DE Lac Victoria MASAÏ
LA FORÊT
BATWA
Lac Kivu RUANDA

BURUNDI KENYA

Shinyanga ○

TANZANIE
WAGOGO

BAGOYANGI

TANZANIE

Lac Tanganyika

ZIMBABWE
NAMIBIE (RHODÉSIE)

BOTSWANA
MOZAMBIQUE

SWAZILAND

RÉP.
D'AFRIQUE BASUTO
DU SUD LESOTHO
TRANSKEI

0   500   1000 km

Kilwa Kisiwani

0 100 200 300 km

Route d'images

Le gel de l'aube fond au soleil. Sous le vent, de vastes étendues herbeuses roulent. Très mauvaise, très escarpée, la route franchit des gorges où poussent de hauts arbres, monte vers des monts déchiquetés. Des chiens sauvages, noirs trottinent devant la voiture.

Il arrête la voiture. C'est l'heure où il aime marcher. Ses pas, chasseurs pacifiques, éveillent et lèvent des oiseaux dans les herbes hautes et pâles du veld.

Il aime aussi l'heure des animaux, lorsque passer c'est déranger une chose ancienne et sombre — certains disent cruelle, mais pour lui, la cruauté appartient au monde qu'il a quitté. Une chose qui pourrait bondir. Qu'il faut apprivoiser à chaque fois.

Il remonte vers la véranda où se balance une lampe Colman. Il se recueille dans l'îlot de la lampe, chassant de petits nuages d'insectes qui vrombissent. Les corps grillés tombent souvent sur la page de son carnet, qui porte en couverture : 1948.

Il y fixe des faits, des rencontres, des émotions. Plus tard une phrase commencée s'interrompt. En cherchant ses mots, il fume, et le nuage de fumée monte à la rencontre du cône de lumière. Alors il pense à ce qu'il a quitté.

Londres, ses corps las pressés l'un contre l'autre dans les abris de guerre et les rues d'après-guerre, dans les autobus qui taillaient le brouillard, qui ouvraient la pluie. Les espaces confinés, où il fallait parler bas, dire comment allez-vous, ne pas écouter la réponse, s'excuser de tout et même d'exister si fort.

7

Mais c'est surtout la guerre qu'il a quittée. Les espaces foudroyés de violence, et cette violence ultime qu'il a saisie : lui-même, à Bergen-Belsen, cherchant, devant les hautes piles de corps pourrissants, le meilleur cadrage.

Plus jamais il ne sera photographe de guerre. S'il est en Afrique, c'est pour que ses images soient porteuses de vie. Il pense : c'est ici que l'on sait aimer.
Pourtant il n'est pas arrivé dans un pays intact. Déjà on recensait, on pacifiait, on administrait, on taillait des routes, on forait des mines, on bâtissait des écoles. Les terres s'appelaient réserves, et les lions, gibier.

Il était parti parce qu'il avait besoin d'un espace à sa taille. Là-bas, son grand corps avait presque honte de sa hauteur, et devait se courber dans les embrasures.
Il a voulu un autre espace : savait-il à quel point ce serait un espace autre ?
En le prenant, l'Afrique l'a changé.
Ce fut d'abord trop subtil pour être su. L'Angleterre était un chez-soi où revenir entre chaque voyage. Il en rêvait le soir, lorsque ses pas ne le portaient plus, ni ses projets : un feu de cheminée, un verre de porto, un vrai jardin, une maison.
Mais peu à peu la qualité de l'air et des êtres érodait son âme d'homme blanc. Il ne se rangeait plus sans distance et sans amusement du côté de l'Empire, de ses rituels immuables transplantés sous des soleils excessifs et secs, des orages de poussière. Soudain, les cravates à leurs cous semblaient des nœuds coulants.

Lui, l'étranger, il s'est laissé glisser lentement vers l'autre, l'homme noir. Il a dérivé sans autres repères que l'aimant des regards, la circulation des sourires, des présents, des quelques mots qu'il savait : eau, feu, route. En eux il se découvrait sauvage et neuf. Et il désirait, par l'élan fou des images, voir comme une première fois, abolir la distance immense qui le séparait d'eux.
Il ne s'arrêtait pas à l'exotisme des bracelets et des peintures, au détail et au nombre des incisions.
Il s'agissait de devenir semblable. Dans un va-et-vient continu entre eux et lui, ses yeux se dessillaient des préjugés et des valeurs apprises.

Ce jeu n'était pas sans danger : à tout coup on y perd une âme, sans être certain d'en gagner une. Les privations et la fatigue n'étaient pas un risque aussi grand que l'exil de soi : souvent, il se trouvait entre l'arbre et l'écorce.
Son savoir sur eux n'était pas formulable en mots. Mais ses images ont su franchir des distances qu'on évalue mal; elles ont dansé leurs danses, célébré leurs mariages, espéré leurs pluies, pleuré leurs morts. Il s'est fait discret comme un arbre, ayant appris d'eux l'art de ne pas tracer, de ne pas imposer, de respecter sa proie et même son ennemi.

Après lui, d'autres viendraient, pour acheter et vendre. L'Afrique s'épuiserait dans des luttes de pouvoirs, de frontières. Elle deviendrait le grand bazar des sensations de l'Occident. Et l'autre, devenu spectacle pour le Blanc, rentrerait dans ce jeu dérisoire : ayant suspendu à sa lèvre une capsule de Coca, il mimerait son âme perdue devant le miroir qui lui serait tendu.

Son temps était compté : il lui a fallu quarante ans, et quinze voyages. Il est revenu en Angleterre. L'Afrique qui fut sienne n'existe plus, que dans ses photographies.

Sud de l'Afrique

Tschudwana

La carte dit : Transkei, côte sud de l'Afrique. Ici on dit plutôt : Terre des Hommes rouges. Rouge, leur terre. Rouges aussi, les couvertures de bure qu'ils drapent pour le froid autour de leurs épaules. Et rouge, leur peau frottée d'argile.

Et le souvenir du sang des tribus affrontées, Amangwane contre Xhosa, kraal contre kraal, quand les lances pliaient contre les boucliers, que les bâtons coiffés de fourrure de singe sonnaient contre les masses. Aujourd'hui on creuse : cuivre or chrome. On éduque, on cultive, on élève le bétail.

Le silence s'est fait sur les gorges doublées d'arbres hauts, peuplées du souvenir des cris des ennemis poussés du haut des krantzes. Et sur l'eau des chutes, où ont roulé jadis les corps des vieux trop vieux, des femmes répudiées.

Reste le rite : le *Ntonjane*.

Au village d'Indali, par-delà la rivière Kei, les vieux se sont réunis pour inspecter le ciel.

Quand les étoiles seront propices, ce sera le jour pour Tschudwana, fille de Ngxande et Matwetshube, de devenir femme.

Déjà la bière brassée bout au soleil, les repas cuisent autour des enclos, la fumée lèche le toit des huttes.

Un photographe est là, qui attend avec eux.

Les invités affluent sur le sentier du kraal et Tschudwana silencieuse, les bras cerclés de bracelets du coude au poignet, reste assise à part, et puis s'éloigne.

Le photographe n'a-t-il pas fait tout ce chemin pour voir ce qu'elle ne verra pas, pour être la mémoire de son absence et de ce temps où d'attente en mutisme elle devient femme ?

Les voici qui arrivent tous : les femmes mariées, les danseuses dont les masses assenées sur le sol rythment l'avancée, les hommes coiffés de chapeaux de feutre d'Europe — ceux qui extraient l'or aux mines du Rand; et les Hommes rouges, les célibataires (ils ont marché toute la nuit); et en dernier les jeunes Xhosa, aux jambes gainées de cuivre, dont le corps huilé scintille au soleil, comme clouté d'or.

A chaque image qu'il saisit et fixe se superpose la vision de tout à l'heure : Tschudwana, jeune fille Pondo, au visage lointain sous la coiffe de perles. Il pense à elle, recluse pour vingt-huit jours dans sa hutte obscure comme dans une étrange chambre noire.

Lentement le soleil hausse sa masse à l'horizon. Les invités s'assemblent en cercle pour le rite. Les frères aînés de Tschudwana égorgent un jeune bœuf, ils l'écorchent.

Ngxande s'inquiète : et si une goutte de sang touchait terre? Si le charme du fétiche se brisait?

C'est à lui qu'il revient d'instruire les mains, de diriger les incisions, de nommer chaque morceau qu'il présente à son destinataire : Isipika la première coupe des côtes pour les jeunes gens, les muscles des cuisses pour les anciens, le cœur pour les petits pâtres.

Le soleil est une boule basse sur l'horizon, le corps est démembré entièrement.

Pour Tschudwana, le morceau le plus fin : l'épaule droite qui lui donnera force, fertilité, chance. Pas une goutte n'est répandue : tout est bien.

Accroupis près des feux les hommes cuisent la viande au bout des piques; il vient une odeur puissante de graisse fondue, de bière fermentée. A mesure que la chaleur monte, que circulent les gourdes et les pots de fer, que s'accélèrent les battements de jambes des danseuses, les rires et les chants atteignent l'aigu.

Il ne comprend pas les plaisanteries il est las de travailler à travers les écrans de fumée. Il suit de loin Matwetshube qui porte à Tschudwana sa part de viande.

A travers les joncs disjoints du toit, il voit la jeune fille presser ses mains sur ses oreilles : pour

éloigner l'esprit du mal ou, plutôt, pour ne pas entendre leurs rires ?

Lorsqu'il revient le sommeil tombe sur le kraal. Il y a encore des femmes pour échanger des confidences longtemps attendues. Les invités, ivres de bière, repus de viande, enroués de chants, replient sur leur tête un pan de couverture et s'assoupissent près des feux éteints, dans l'odeur de graisse refroidie et de cendre d'une fin de fête.

Mais les Hommes rouges, eux, malgré la fatigue, dansent encore. Ils dansent entre eux, dans la lueur d'ambre qui vient des collines, au soir tombé, à la nuit venue, jusqu'à l'aube, rivaux que porte le même espoir : être choisi pour elle.

Quand ils retournent en files vers leurs villages, Tschudwana s'accoude et tend l'oreille vers leurs chants qui s'éloignent : lequel, son mari ?

Elle s'endort, roulée dans sa couverture sombre, elle rêve sûrement : plus que vingt-sept nuits avant que ne vienne le sien; qu'elle ne connaît pas et qui ne la connaît pas, avec le visage qu'elle espère, et la dot de bétail — ilobolo. Ils partiront ensemble, ils fonderont un nouveau kraal.

Le photographe a pris le sentier qui mène à sa hutte. Debout derrière l'écran d'osier, il attend qu'un peu de lune blanche éclaire son visage.

Il n'a presque plus de film. Il tremble qu'on ne le voie.

Légendes

p. 10   Guerrier Swazi, tribu Ngwane, Swaziland, mai 1948.

p. 13   Guerrier Swazi en grande tenue de guerre, y compris lance et bouclier, mai 1948.

p. 14-15   Femmes du Transkei, avril 1948.

p. 16   Deux frères, Thaba Bosiu, Basutoland, avril 1948. Les deux canons ont été coulés en 1842 pour le leader Suto Moshesh par un déserteur de l'Artillerie royale britannique. La colline est l'endroit où a été enterré le roi Moshesh.

p. 17   Enfant, Basutoland, avril 1948.

p. 18   Mère et enfant, Basutoland, 1948.

p. 19   Basutoland, un village de montagne aux toits de chaume, 1948.

p. 20-21   Femmes triant des entrailles pour la cérémonie de mariage de Tschudwana, jeune fille Pondo, 1948.

p. 22   Les « Gens Rouges » : deux jeunes femmes viennent assister à une cérémonie tribale, Transkei, 1948.

p. 23   Tschudwana, jeune fille de la tribu Pondo, avant la cérémonie de mariage. Ses ornements sont faits de perles sur fil de cuivre, 1948.

p. 24-25   Danse Pondo, Transkei. Les femmes se protègent du froid au moyen d'épaisses couvertures de couleurs vives. 1948.

p. 26   Grand-mère de Tschudwana, tribu Pondo, 1948.

p. 27   Jeune fille Swazi en vêtements imprimés traditionnels, mai 1948.

p. 28   Jeune fille Pondo avant la cérémonie de mariage. Il lui est imposé une période d'isolement de la tribu dans une hutte sans lumière, 1948.

Ouganda

Mémoire

La première fois il ne connaissait personne encore. Il voyageait depuis deux ans de Cape Town au Caire, et il ne voulait plus qu'une chose : rentrer chez lui. Mais la forêt l'a retenu.

J'ai marché longtemps dans la province de Kigezi. Toujours de l'humidité, toujours des nuages. La forêt est complètement silencieuse : on pourrait penser qu'elle est inhabitée, et cette pensée fascine. Mais on marche. Des milliers d'êtres vous observent : on les sent mais on ne les voit pas. A ras de terre, dans une obscurité perpétuelle, vivent les plantes et les champignons en tapis serré. A mi-hauteur, les fleurs devenues folles prennent des allures d'arbres : immortelles jaunes, lobélies en cierges géants, laineux, millepertuis aux couleurs de tulipes rouge-orangé. Dans les clairières se dressent les formes délicates des fougères arborescentes. Et sur les troncs tendus de lichens, emmitouflés de mousses, s'ouvrent les orchidées : à deux cents mètres on les sent déjà, une odeur dont la violence enivre.

Très haut au-dessus des têtes volètent des oiseaux bleutés aux becs courbes, de lourds papillons roux. *D'avril à octobre les routes détrempées se transforment en marécages. Mais à la saison sèche, la savane redevient une étendue longue d'épineux, que ponctuent des bosquets espacés. Quatre ans plus tard il était de retour : il voulait voir les animaux.*

Du coucher de soleil à l'aube, notre monde rétrécissait : au-delà du cercle de lumière découpé par le feu, le reste était à eux : aux animaux.

Par une nuit très douce, une de ces nuits où la senteur des acacias, comme devenue palpable, 31 occupe l'air, nous nous sommes dirigés vers le point d'eau des éléphants. Il n'y avait pas de lune, et pour ne pas les provoquer, nous avancions au jugé.

Mais c'est eux qui sans le vouloir nous ont trouvés. Au lointain, le grondement des lions en chasse a roulé comme un tonnerre, puis ce fut le barrissement d'un éléphant blessé. Nous avons allumé les phares, et leur pinceau a balayé soudain la savane.

En ligne de fuite serrée, le troupeau nous chargeait. Nous avons escaladé en hâte le bas-côté. Trompes et têtes levées, naseaux distendus, pupilles roulantes, ils couraient, entrechoquant leurs défenses, arrachant tout sur leur passage. En quelques minutes ils ont disparu. Des nuages de poussière volcanique blanche retombaient.

Puis l'aube monta : les nuages se déchiraient sur les pics, les acacias bordaient la broussaille d'un ourlet blanc comme du givre. Le rire enroué des hyènes, l'aboiement sec des chacals ont diffusé la nouvelle de la tuerie. Assises sur leurs hanches, les hyènes ont reniflé le vent qui se levait, apportant l'odeur du sang. Les chacals ont suivi, puis les vautours, dans un grand déploiement d'ailes grises.

Les lions étaient déjà à l'ouvrage.

Nous les avons suivis jusqu'à la clairière; la chaleur montait déjà. Une fois terminé le festin, il n'est plus resté de l'immense corps échoué qu'une tache sombre dans le sable. Ils l'avaient emporté jusqu'à l'os.

Cela, sans doute, n'a pas beaucoup changé, notre façon de passer les rivières sur des bacs de fortune, deux canoës et deux planches jetées en travers, qui s'enfoncent quand on s'y engage. Souvent le chauffeur oubliait de serrer le frein, et la voiture culbutait par-dessus bord.

La troisième fois il est entré par le nord, venant de Djibouti, par l'Éthiopie et le Kenya. De Juba, il aurait

pu prendre l'avion : même en ce temps il y avait une piste minuscule — il fallait chasser les lions avant chaque atterrissage. Mais il a préféré remonter le Nil en vapeur.

En première ça allait, malgré les milliers de cafards qui venaient nous aider aux repas. La troisième, c'étaient des barges à ciel ouvert, accrochées aux flancs et à l'arrière du vapeur. Il pleuvait sur les gens et les chèvres.

Ils ont continué en Land-Rover. Quand ils étaient fatigués des conserves, ils achetaient des légumes et des fruits frais au marché, ou allaient voir une tribu pour qu'on leur tue une chèvre, un mouton.
Quand son ami B. fut nommé préfet de région, ils ont traversé le Nil à Laropi, et de là foncé pour le rejoindre vers Moyo, en plein territoire Madi. C'est là qu'ils ont campé, à Metu, sur les rives du fleuve.

Nous ne parlions pas leur langue : nous communiquions par signes. Le soir, par la vitre de la Land-Rover, quand nous regardions si le feu mourait, il n'était pas rare de voir un groupe de femmes. Silencieusement arrivées, elles se blottissaient par deux près du feu, et une fois réchauffées, elles s'en allaient.

Les Madi, eux, tout leur est prétexte à danser : la mort d'un chef, une chasse heureuse, la fin de la saison du coton, ou, tout simplement, le don d'une caisse de bière. Ils portent des peaux de léopards, des clochettes aux chevilles. Les tamtams les accompagnent, et le chant des femmes à l'aigu. Parfois, par deux, ils rompent le cercle et se battent pour rire avec leurs bâtons.

Ils ont passé en bac par Kitchwamba le canal du Kizinga. On voyait au loin le Ruwenzori coiffé de

brumes et de neige, ces monts qui sont les boucliers de l'Équateur, les vraies mères du Nil. Les Anciens les nommaient Montagnes de la Lune : ils pensaient qu'ils marquaient le bord du monde. Les Wakonjo disent : le Faiseur de pluie.
Dans le courant faible, les hippos se baignaient par centaines, à demi immergés près des rives.

Katwe, au bord du lac Édouard, c'est juste quelques huttes entre lesquelles volètent des marabouts, piquant du bec les poissons trop petits, que les pêcheurs rejettent. On voit les hommes partir à l'aube et disposer leurs filets en demi-cercle; pendant qu'ils naviguent, l'équipage bat l'eau. A peine ensuite peut-on tirer les filets, tant ils pèsent. Ce sont des tilapies longues d'un demi-mètre, dont la chair est délicieuse.
Il a rencontré, juste pour un jour, la tribu des Bahima.

Sauf les mouches, qu'ils étaient beaux !

D'un pâturage à l'autre ils suivent leurs troupeaux d'*anchole* aux cornes courbes, et dorment en plein air ou sous les huttes qu'ils se font. Ils ne mangent pas la viande de leurs bœufs avant qu'ils ne meurent, mais vendent leur lait, frais ou caillé, dans des gourdes ou de grands cônes de terre cuite.

Au contraire des autres tribus, ils ne laissent pas leurs femmes traire ou toucher les bêtes, toucher le lait : ils croient qu'elles le contaminent. Elles ont le droit de le vendre, mais dans des récipients scellés.

Maintenant qu'il a raconté, il lui arrive de douter de certains noms, de certains détails. Dans sa mémoire, les quatre voyages échangent leurs qualités. Il n'est plus sûr du moment des rencontres, des itinéraires exacts, tant il a vagabondé, sillonné la savane sans se soucier des routes, suivant des cartes approximatives, l'état du ciel. Il croit cependant que les choses se sont passées ainsi.

44

Légendes

Danse des Gens de la Forêt

Danse pour un roi blanc et un photographe

Sans violence et sans loi, un roi blanc règne sur les Gens de la Forêt : les Pygmées Batwa, Wachimbiri, Wagasero, Wahundi, qui font le feu en frottant des bâtons cylindriques, qui tannent les antilopes au dos doré, et portent leur fourrure rare poil contre peau.

C'est Peter Matthews, chasseur planteur, prospecteur d'or, distributeur de conseils, de quinine, écouteur de contes, acheteur de peaux.

Pour le rencontrer le photographe est monté sur les pics de Kigezi, à huit mille pieds de haut : La vue porte jusqu'au Congo. En étendant la main, on croirait toucher le ciel.

C'est là que Matthews a bâti sa maison : Naisura, disent les Gens de la Forêt : Tenante du sommet. *Matthews a annoncé le visiteur : son message a porté loin.*

Et, laissant leurs shambas de seigle et de sorgho, les Gens de la Forêt se sont mis en route.

Soixante miles, deux jours, et deux nuits de voyage. Mais la distance leur est peu : parfois, sans raison autre que pousser le trop lent troupeau des heures, il leur arrive de marcher.

Ils ont enveloppé leurs lances de feuilles de bananier : leurs intentions sont pacifiques.

Arbres festonnés de mousse, orchidées en grappe, fougères géantes. Dans l'odeur poisseuse et puissante de la sève, dans le chemin frais des tiges brisées, ils rejoignent, sous Naisura, la piste de leur danse. Les femmes avancent d'abord pour former le cercle : leur corps luit frotté d'huile *simsin*, comme des grains de café polis, comme une éclaircie dans la clairière.

Le rythme, ce sont elles : vieilles aux mains dures,

jeunes aux paumes élastiques, elles battent des bras sur les jupes de peau.

Eux leur font face et leurs mains se plient, paumes vers le ciel, souplesse de feuilles retournées sur la tige des poignets. Ils se pavanent, ils avancent ils sourient, elles répondent, oscillantes des reins et des hanches, tremblantes des seins, tendues du buste, offertes depuis la taille.

Et le photographe qui s'est avancé dans la clairière qui s'agenouille et se relève à leur rythme s'étonne du bébé attaché aux épaules de sa mère qui continue à dormir, secoué par la danse, paupières et poings fermés sur un rêve plus puissant que tout. Les battements des mains se font plus forts, plus rapide le train des images. Un soliste se détache et improvise.

Ils dansent, les Gens de la Forêt, comme des arbres déracinés, habités d'air, d'énergie, de rythmes qui aiguisent leur corps massif, qui les transfigurent et les allègent.

« Nkusiri », chantent les Pygmées : « Je deviens vieux » :
Le roi blanc traduit leur chant au photographe.

« Je deviens vieux / et je ne peux plus. / Mes pieds sont lourds / des douleurs gagnent mes os. / Je deviens vieux / Je ne peux plus. / Fane au soleil l'herbe sauvage / mais quand vient la pluie / des racines mortes / repousse l'herbe neuve. / Je deviens vieux / mais je suis / transmis à mes enfants. »
Ils s'émerveillent de leur souplesse qui dément leur chant. Lui, l'œil collé à l'objectif, il croit entendre encore les mains des femmes claquantes sur leurs jupes, mais c'est déjà le vent qui souffle dans les feuilles, et fait trembler les lances fichées en terre derrière eux. C'est la pluie, qui vient laver leur sueur, leurs visages levés, l'épuisement de leurs genoux : « Des racines mortes / repousse l'herbe neuve. »

Sans un regard pour l'étranger pour qui ils ont dansé, les Gens de la Forêt reprennent la route. Leurs corps ruissellent sous les trombes d'eau qui s'abattent.

S'il n'y avait Matthews assis à ses côtés, le poids des rouleaux dans ses poches, les marques des talons sur la piste de danse, il croirait avoir rêvé.
Loin, à la lisière de la forêt, on entend les pleurs du bébé qui s'éveille. Juste avant de disparaître, une
des femmes se retourne brièvement vers lui.

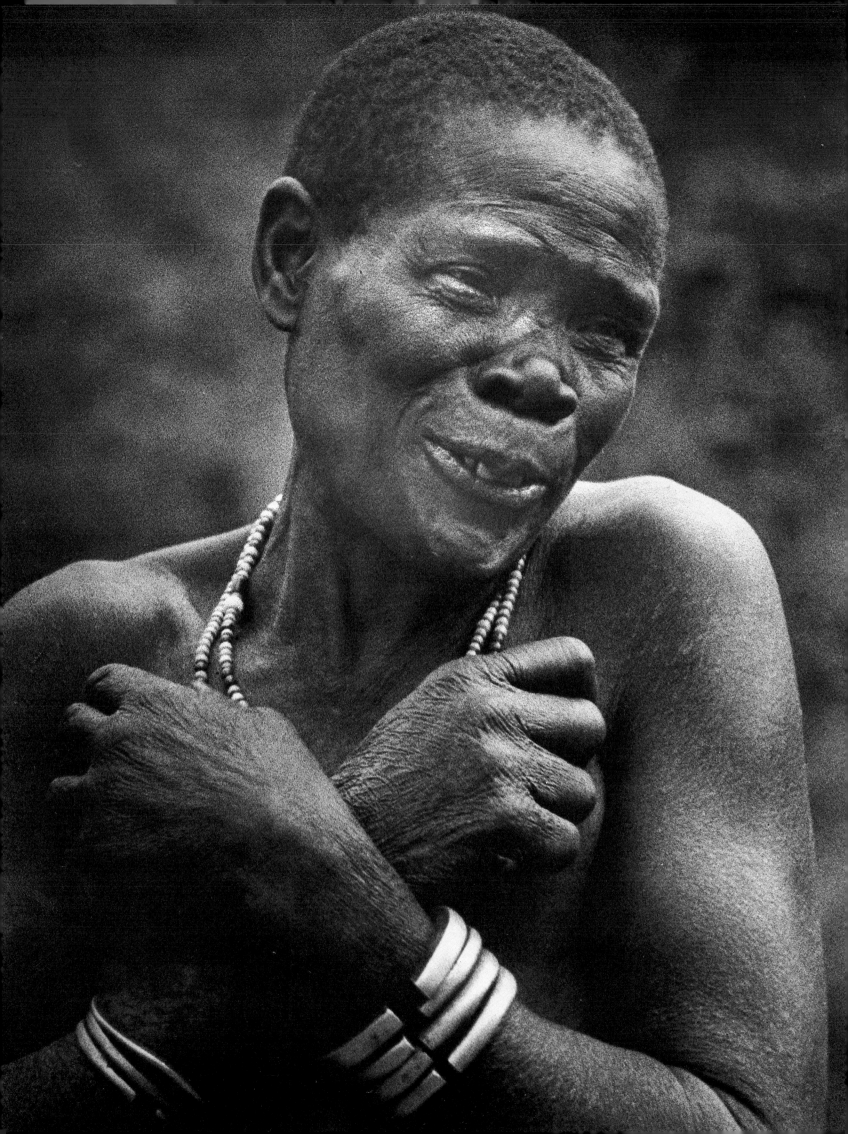

Légendes

Tanzanie

Kilwa Kisiwani

Il était une fois, au sud de Zanzibar, au large du Tanganyika, une île minuscule. Ses rives étaient frangées de cocotiers banals, une brousse épineuse y poussait.

Mais c'était comme une barbe rarement taillée qui laisse pourtant deviner par places un visage autrefois beau :

Parfois le pied du visiteur heurtait des ruines, forteresse, mosquée, maison, et parfois des portes persanes encore debout déployaient pour lui la splendeur de leurs signes.

Kiloat, disaient les Arabes, et Milton, dans *Paradis perdu*, la nommait Quiloa. Selon l'historien Ibn Batuta, c'était, voici six cents ans, la cité la plus noblement construite sur la terre.

Le cheikh Hussein bin Mahamud s'appuie du dos à la porte sculptée, et le photographe assis à ses côtés dépose son appareil : il écoute :

« Il était une fois l'île de Kisiwani : ses fondations reposent sur un rêve vieux de mille ans : celui de mon ancêtre Hassan bin Ali, prince de Shiraz.

« Il vit une nuit des rats : ils traversaient la mer à la nage, ils abordaient aux rives de Shiraz, ils prenaient sa ville d'assaut. Et — museaux de fer, dents de fer — ils rongeaient. Ils grouillaient sur les murs, ils attaquaient même les fondations, peinant aussi dur que les hordes d'esclaves qui les édifièrent.

« Dès la tombée du soir Ali tremblait que son rêve ne se poursuive, mais il n'osait se confier aux devins, qui l'auraient dénoncé au peuple comme messager de mauvais augure.

« Alors (dit Hussein), Hassan s'enfuit : il ne voulait pas voir les conquérants de Muscat et d'Oman traverser le Golfe comme une vague, et les murs de Shiraz basculer dans la mer. Il précéda la défaite. Il prit avec lui ses six fils, toutes leurs femmes et concubines. A bord de sept navires ils firent route vers les îles mal connues du sud. Chaque fils commandait un bateau, et le sien les menait.

« Ils passèrent du golfe à l'océan Indien, décrivant autour de Muscat un large cercle. Puis, sud-sud-ouest, ils suivirent la côte d'Hadramaut vers les îles aux épices. Peu à peu les fils de Hassan le délaissaient. A la fin il fut seul à suivre des rives ignorées, et le vent de mousson le poussait par la poupe.

« A marée basse il aborda un estuaire abrité, peu profond, et il jeta l'ancre.

« C'était Kisiwani (dit Hussein). Mais en ce temps-là, l'île n'était île qu'à marée haute : quand la mer se retirait, elle dégageait une flèche de sable qui faisait un pont avec la terre ferme.

« Le chef des Almuti reçut Hassan. Ils traversèrent ensemble le sable vers les hautes terres. Et bin Ali, se retournant, vit, par-dessus son épaule, le chemin qu'ils avaient suivi s'effacer, recouvert peu à peu par les eaux remontantes.

« Alors il décida d'arrêter là son voyage, il obtint la permission de se bâtir une maison, il s'établit, et eut un nouveau fils.

« Mais le jeune homme devint ambitieux, dit Hussein : il voulut posséder l'île. Après marchandage, le prix en fut fixé à la longueur d'étoffe nécessaire pour la circonscrire à marée haute.

« Au jour dit, Ibn Hassan, fils de Hassan, vêtu de ses plus beaux habits, fit porter sur la plage les balles précieuses. On les délia devant la foule : leurs fils d'or scintillaient. Solennellement, les serviteurs dévidèrent l'immense rouleau. Ali et les chefs Almuti le foulaient, et sur leurs talons on le repliait avec soin.

« Quand ils eurent fait le tour de l'île, et qu'Ali fut maître de son domaine, sa première action (dit Hussein) fut de faire creuser un profond chenal qui la coupait entièrement du continent. Et la seconde, de se faire nommer sultan de Kilwa Kisiwani : car Kilwa signifie "sur l'île".

« Bientôt une vaste cité naquit parmi les palmes. Bientôt furent construits des palais, des mosquées au nombre de trois cents. Bientôt, la cité devint riche : elle importait l'or des mines du Zimbabwe, elle construisait tout au long de la côte africaine.

« Son pouvoir s'étendit loin au sud, jusqu'à Sofala.

Sa civilisation était haute : elle devint la tête de l'empire des Zeng.

« Les rats étaient loin », conclut le cheikh Hussein bin Mahamud, descendant des sultans.

Mais son récit s'arrête là. Ce n'est pas de lui que le visiteur apprend la suite : l'invasion arabe, la chute de l'empire, la soumission à Vasco de Gama. Pas lui qui lui montrera la piste encore visible des pieds d'esclaves qui, au long de six siècles, ont traîné leurs chaînes vers le lac Nyassa. Son regard erre un moment parmi les ruines d'une mosquée, qu'il paraît prendre à témoin. Il rentre par la porte persane, et après sa voix, il n'y a plus que le vent pour murmurer comme avant dans les palmes de l'île.

Légendes

p. 68   Adolescents avec leurs masques de circoncision, tribu Gogo, Tanganyka, août 1948.

p. 71-72-73   Bagoyangi de la tribu des Wakusuma. Leur danse du serpent *mbina* est exécutée dans le village de Mtemi Kudililwa, Sukamaland, Tanzanie, 1948.

p. 74   Échoppe de boucher, mine de diamants de Williamson, plateau de Shinyanga, septembre 1948.

p. 75   Masai en visite à une vente locale, Nord de la Tanzanie, août-septembre 1948.

p. 76-77   Mine de diamants, Williamson, plateau de Shinyanga, septembre 1948.

p. 78   Ancienne mosquée de l'île de Kilwa Kisiwani, jadis capitale de l'Empire perse des Zeng, août 1948.

p. 79   Ile de Kilwa Kisiwani : maison avec une porte de teck sculpté provenant d'un ancien bâtiment perse, 1948.

p. 80   Masai à une vente de bétail, Nord de la Tanzanie, septembre 1948.

Le roi du Bunyoro

Mpango

Le jour du recouronnement — c'était avril 1954 — il y eut, au stade de Hoima, un grand match de football. Tous s'y pressèrent, débordant les barrières, et les gardes durent les repousser.

Derrière la foule la poussière d'une fin d'après-midi retombait; La lumière baissait déjà.

Son Altesse Royale Omukama Bukirabasaija (qui-domine-tous-les-hommes) Acutumba (qui-peut-guérir-tous-les-maux) Tito Gafabusa Winyi IV et son épouse la reine Owekitinisa Omugo félicitèrent l'équipe victorieuse, et remirent au capitaine une coupe d'argent.

Ils se hâtèrent vers le palais : il était temps que la cérémonie commence, que le roi soit recouronné de toutes les couronnes de ses ancêtres, et confirmé dans son règne.

A grand-peine le photographe se frayait un chemin. La foule était épaisse comme un miel. Au-dessus des têtes sombres il voyait sinuer des corolles obliques : c'étaient les trompettistes, qui avaient embouché les nyamalya vieilles de six siècles.

Puis le tambour-chef prit la tête du cortège, précédant les membres des Guildes sacrées, le menton prolongé d'une barbe postiche. Derrière eux, comme un mur de rayons, avançaient les porteurs des Lances sacrées, et le Porteur du Râteau royal Empese.

Un sillage de vide suivait les Exécuteurs, qui avaient jeté sur leurs épaules comme des rames les haches lisses de bois dur.

Les enfants paradaient, portant des drapeaux, des bannières, et tous les gens du Bunyoro, comme un champ qui ondule, dessinaient, de leur avancée lente vers le palais, les figures de la danse Mpango Kuguruka.

Au-dessus de leurs têtes les arcades de bambou crissaient.

Le photographe s'était placé juste sous l'estrade.

Le tambour-chef leva sa baguette, au bout de son geste les cris s'apaisèrent, les rumeurs devinrent murmures, les piétinements s'éteignirent.

Du dôme du tambour Mpango Tibamlinde aux visages levés vers le dais dressé, le silence ricocha en cercles élargis.

Le roi s'avançait. Il avait passé la robe d'écorce de figuier sauvage, coiffé la couronne de son ancêtre Mukama Rukidi, premier roi de la dynastie. Et quand la voix du tambour proclama sa royauté, ses épaules se redressèrent comme devant un miroir qui l'aurait investi d'une dignité neuve.

Sept jours l'écho réverbère le roulement. Sept jours les bras sur le bois se relaient, de la tombée du soir à la montée de l'aube, pour que le tambour ne se taise jamais. Et sept fois le photographe entend N'dura proclamer : « Que tout étranger soit exclu ! car Suprême est Notre Roi : Longue Vie ! »

Le soir il attend longtemps avec les membres de la Guilde, dans l'antichambre du Trône. Il les suit dans la Septième Cour, où toutes les couronnes jonchent le tapis de peaux de léopards, comme des brassées de fleurs coupées.

Il ressort sur la véranda pour voir les bouffons, les musiciens et les danseurs, les charmeurs qui nouent à leur cou le mamba vert et la vipère heurtante.

Après le coucher du soleil, après la ronde des appartements royaux, lorsque la lance royale a été rapportée au palais, et les tapis enroulés, il suit Tito Gafabusa Winyi IV, Omukama de Bunyoro, qui se promène dans les jardins au bras de la reine. Ils descendent le sentier qui mène à l'enceinte réservée, et les femmes s'inclinent aux pieds du roi à son passage.

Il est plus de minuit. Le roi est seul.

Nu-tête il va s'asseoir sur son trône, il regarde à ses pieds le tapis de couronnes.

Elles pèsent, polies de tant de mains, liées à tant de souvenirs. Il lui semble que des épaisseurs de temps tremblent autour d'elles : tant de têtes furent, avant la sienne, couronnées, recouronnées. Les

porter, pense-t-il, c'était susciter une transparente foule de fantômes que le peuple ne pouvait pas voir, mais qu'il entendait piétiner derrière lui : la longue lignée des rois, ses ancêtres.

C'était vieillir, aussi, et se lasser peut-être d'un fardeau non encore transmissible.

Trente ans roi, pense-t-il, c'est long.

Et, les yeux fermés, il pense à ses terres perdues, il passe en revue ses fils, espérant que l'un, quand son crâne sera poussière, portera sa couronne à lui, Tito Gafabusa.

Légendes

p. 82   Un garçon de la tribu des Bunyoro.

p. 85   Membres du Mpango (Conseil Royal) avant la cérémonie où l'on commémore la trentième année du roi du Bunyoro sur le trône, 1954.

p. 86   Le roi du Bunyoro accueille les membres du Mpango dans l'enceinte royale, 1954.

p. 87   Son Altesse Royale Tito Gafabusa Winyi IV coiffé ici de sa propre couronne. Pendant les cérémonies d'anniversaire, il sera recouronné plusieurs fois, chaque fois avec la couronne d'un roi renommé qui l'a précédé, 1954.

p. 88   Le gardien de la Lance sacrée, 1954.

p. 89   Le Katikiro (premier ministre) conduit les gens du peuple Nyoro devant le palais royal, Avril 1954.

p. 90   Le Babogora (exécuteur royal) portant sa hache symbolique, 1954.

p. 91   Un des chefs de tribu dans son vêtement traditionnel d'écorce, 1954.

p. 92   La danse devant le palais marque le début des fêtes d'anniversaire, 1954.

p. 93   Le gardien du Tambour sacré en train de danser.

p. 94-95   Les batteurs membres du Mpango jouent du tambour royal, avril 1954.

p. 96   Les joueurs de trompe dont les Nyamalya (instruments sacrés) sont couverts de coquillages cauris et de peaux de lézard.

Karamoja

Récit de l'ancien

Je suis Karamojong, de la tribu Jie. J'ai grandi
dans le campement de ma mère,
avec mes frères de sang.
La première fois que j'ai vu une femme blanche,
j'avais déjà plus de trente ans. Pourtant
je ne vis pas loin
de la piste qui joint Soroti et Moroto
par Adachal. Mais mon pays est clos :
peu d'étrangers nous approchent.

Terre
plate
broussaille
sèche, épines.
A un bout le mont Kadam,
à l'autre le Morongolo.

Les femmes de chez nous sont belles :
Hanches larges comme il faut,
cuisses épaisses et bien formées
jambes longues et droites du genou à la cheville,
couvertes d'un tablier orné de coquillages.
Mais nous, les hommes,
nous dédaignons les vêtements. Il nous suffit
de piquer nos cheveux de plumes noires ou
blanches,
et d'y suspendre
des boules pelucheuses de duvet d'autruche.

Quand le père et l'oncle sont morts,
je fus libre de prendre femme.
Elle était chère :
cinquante têtes de bétail et beaucoup de chèvres.
Mais j'étais fils aîné,
pendant deux ans mes frères se sont privés.
Comme elle était belle !
Le cou pris dans une bobine de fer
la lèvre percée d'une tige de laiton
et ses cheveux dressés
en petites nattes raides.

L'année où le capitaine anglais de Nyakwai
fut tué d'un coup de lance
fut terrible. Swahili Indiens Arabes
s'abattirent comme des mouches,
massacreurs d'éléphants,
contrebandiers d'armes et d'esclaves. Et quand
le gibier se fit rare
c'est contre nous qu'ils se tournèrent :
ils ont pillé nos camps saccagé nos jardins
bu notre bière violé nos femmes et arraché
les parures de leurs lobes.

A la saison sèche nous suivions nos troupeaux
vers des pâturages improbables.
La terre sous nos pieds se craquelait
peau de très vieille femme.
Le soleil nous battait la nuque,
les bêtes meuglaient de soif.

99

Nous laissions derrière des plaines pelées
broutées jusqu'aux racines.
Les étangs attendus n'étaient plus :
souvent nous ne trouvions que poussière. Ou
s'il y avait un puits
il fallait le disputer
à l'autre tribu,
les Dodoth.
Quand nous avions monté le camp,
un enclos de bois et d'épines
un vent chaud et sec montait du désert
et nous nous réfugiions dans l'unique abri
tassés l'un contre l'autre
tandis que s'abattait l'orage de poussière.
Au matin les derniers arbres, la dernière herbe
avaient flétri.
Le lait des bêtes tarissait. Des enfants, des vieux
mouraient. On en était réduit à tuer des bœufs,
à annuler des mariages prévus depuis longtemps.

Au début du printemps
les grandes pluies éclataient enfin.
Nous faisions la paix avec les Dodoth.
Les bêtes broutaient,
engraissaient.
Mais souvent les pluies devenaient torrentielles,
emportaient le mince sol noir;
marcher nous trempait jusqu'à l'aine,
et dans la brousse noyée d'eau
seul le haut des arbres surnageait.

Je suis Karamojong, de la tribu Jie.
Aujourd'hui, où je meurs,
âgé de presque un siècle,
je sais que le couteau
raclera ma toison de feutre,
casquée de glaise, de graisse et de bouse.
Je sais que ce tas
épais comme une laine
épais comme une éponge

ils le laveront, le sécheront au soleil
et le répartiront entre mes trois fils.
Si je meurs, c'est pour vivre en eux :
ils noueront mes cheveux aux leurs, les porteront
sur la nuque, au creux de leur chignon
avec la boîte à priser et les perles,
le bâton à feu, le tabac.
A mesure qu'ils vieilliront,
la large masse ronde pendra plus bas
entre leurs épaules,
et avec le soleil descendant
un peu de mon ombre grossira leur ombre.
Ma vie a répété celle de mes pères. Mais je sais
que celle de mes descendants
ne redoublera pas la mienne.
Déjà la division des ans
entre saison de pluie et grande sécheresse
est caduque : les blancs
ont creusé des puits,
construit des barrages.
Déjà les enfants Jie vivent plus nombreux,
et nos bœufs :
ils ont donné les vaccins.
Mais moi, au seuil de la mort, je m'inquiète :
qui recueillera les légendes des anciens,
puisque les enfants fréquentent leurs écoles ?
Qui gardera
les coutumes et la pureté des alliances
maintenant que des routes
tailladent la brousse ? Je sais
que mes petit-fils n'iront pas
chasser l'éléphant à la lance :
ils sont tombés peu à peu non pour la viande,
mais pour l'ivoire des bijoux
que portent les femmes de l'autre côté du monde.
Ils ne transhumeront plus avec leurs bœufs,
ils s'accoutumeront au confort des fermes
et oublieront
la dot de bétail.

Je fus Jie
Je meurs sachant
qu'il ne s'agit pas
de ma mort seulement.

Légendes

p. 98 Filles de la tribu Napore rassemblées au début d'une chasse, Karamoja du Nord, Nord-Est de l'Ouganda, 1954.

p. 101 Les hommes de la tribu Jie viennent examiner les étrangers, Kaabong, 1954.

p. 102 Chasseurs Napore avec leurs lances, 1954.

p. 103 La bénédiction des lances avant le départ des chasseurs, 1954.

p. 104-105 Guerriers de la tribu Jie qui se saluent par attouchements des doigts lors d'une vente de bétail, 1954.

p. 106 Homme de la tribu Dodoth avec sa coiffure de cérémonie, 1954.

p. 107 Musicien Dodoth, 1954.

p. 108 Berger de la tribu Jie avec sa coiffure de cérémonie, 1954.

p. 109 Homme de la tribu Jie, 1954.

p. 110-111 Hommes de la tribu Napore qui sonnent la trompe pour rassembler les tribus pour la chasse, 1954.

p. 112 Homme de la tribu Dodoth, 1954.

p. 113 Hommes de la tribu Jie avec leurs coiffures de cérémonie, 1954.

p. 114 Hommes de la tribu Jie, Kotido, Karamoja, 1954.

Danse pour le faiseur de pluie Latuka

Nalam

Quand le visiteur parvint chez les Latuka de Torit, peu de jours avant le début du printemps, il arrivait du sud-est du Soudan, et les eaux du Nil Blanc étaient basses.

Il avait dû passer une brousse sèche craquante d'épines, fouler une terre que durcissaient les dernières gelées.

Le jour se levait. Le village, enroulé à la commissure de deux collines, dormait encore, sous ses fumées, dans le double cercle des palissades. C'était deux jours avant la cérémonie du *Nalam*.

Le faiseur de pluie qui d'ordinaire allait nu passa en hâte une chemise pour honorer le visiteur.

Il vint à sa rencontre escorté de deux hommes : aux mains du premier un éventail, un pectoral de cuivre au cou du second. Leur maintien était digne et gracieux, sombres et minces leurs membres. (Quant aux femmes, elles restaient cachées).

Son guide l'avait prévenu : c'est un peuple coquet, friand de perles bleues. Ils les mesurent par cuillers à thé, les troquent, allant jusqu'à quatre taureaux en pleine force lorsqu'elles sont anciennes.

Un peuple de guerriers, avait dit son guide, tueurs de bêtes à poil et à plume. Ils s'ornent de dépouilles qui montrent aux femmes quel butin ils savent arracher à la brousse : pennes des grandes grues grises, duvet d'autruche pour les casques et les éventails, peaux de buffles blanchies trois ans au soleil pour les boucliers *Nabugo*, défenses pour les trompes *Namogo*. Pour les lances ils choisissent un bois d'ébène bien uni, et pour leurs bâtons *Lamudung*, ils plument vifs six cent bouvreuils au poitrail vermillon, non par cruauté, dit le guide, mais parce que pour eux, rien n'est trop beau.

(Mais elles n'ont qu'un bandeau de perles, une torsade de métal au cou).

Chaque année, dès que les jours s'allongent et que l'hiver finit, les Latuka commencent à scruter le ciel pour des signes de pluie : car ils vivent de leurs moissons, et toujours le faiseur de pluie fut leur chef héréditaire. Chaque année ils l'honorent, chantent ses mérites, espèrent ses bienfaits.

La tribu s'était rassemblée. Un des chefs se tourna vers le guerrier qui était à sa gauche pour lui annoncer la cérémonie du lendemain, et lui à son tour cria le message aux autres qui attendaient : elle n'est pas digne du chef, la parole directement transmise.

A l'aube il était prêt et plein d'impatience. Le clan des guerriers partit battre la brousse : le premier animal qui tomberait sous leurs lances donnerait l'augure des récoltes : gros, femelle : bon présage. Petit ou mâle : mauvais présage. Et si rien ne mourait avant midi, ce serait pire : pour que le faiseur de pluie oublie, qu'il fasse malgré tout descendre l'eau du ciel, il faudrait l'amadouer longtemps.

De maison en maison, il suivit les vieilles et l'homme-médecine qui allaient, martelant le montant des portes, chantant les louanges du chef, présentant des lances, des offrandes de nourriture. *Quand les Monyimiji arrivèrent, une bufflesse sur les épaules, tout le village qui les guettait poussa un soupir de satisfaction.*

Lorsque débuta le *Nalam*, le soleil était bas. Absorbé dans ses préparatifs, le village ne prêtait plus attention au photographe. *Il se hissa sur une palissade.*

Au centre de la piste, le chef des guerriers escaladait le pylône *Namurok*, et le sonneur de trompe rassemblait la foule. Sautillant à l'avant, les vieilles saluèrent au passage les guerriers qui sortaient de leurs huttes.

Alignés de front, ils s'accroupirent derrière leurs boucliers étroits. Au-dessus de leurs corps passés au gris, au rouge, les casques brillaient, les tiges pourpres oscillaient. *Il remarqua pour la première fois les incisions qui marquaient leur torse.*

Suivirent les filles : les plus âgées d'abord, qui soulevaient leurs seins au rythme du tambour. Et derrière elles les vierges, joues cendreuses, front orné de perles. Une belle avançait à part, le tarbouche incliné crânement sur l'oreille. La file des fillettes se déroulait à ses pieds, alignées par ordre de taille, jusqu'aux toutes petites qui marchaient à peine.

Le cercle s'ébranla. Les gourdes de bière passaient de bouche en bouche. Sautant sur place, les danseurs gesticulaient avec leurs lances.
Descendu sur la piste, le photographe se trouva pris dans un infernal mouvement de manège, comme si la foule animée par la frénésie des tambours était une roue broyant sans fin le grain de la poussière, libérant un tohu-bohu de chants, de piétinements, de cris extatiques et rauques.

Toute la nuit ils dansèrent, ébranlant le ciel de leurs cris.
Le photographe resta bien longtemps après que le soleil eut sombré. Il avait les yeux rouges. Autour de lui, des corps lumineux de sueur clignotaient, alternant les balancements et les sauts.

Au matin, le faiseur de pluie était apaisé. Les Latuka dormaient sur place, égaillés dans la poussière. Ils avaient assuré leur future moisson.
Lui, c'est une autre récolte qu'il espérait.

Légendes

p. 116   Guerrier Latuka habillé pour la cérémonie du *Nalam,* février 1949.

p. 119   Guerriers portant le *Lamudung,* une tige ornée des plumes du bouvreuil, 1949.

p. 120-121   Les guerriers portant leurs boucliers de cérémonie s'alignent pour le *Nalam,* 1949.

p. 122-123 (haut)   Les enfants de la tribu Latuka prennent part à la cérémonie du faiseur de pluie, 1949.

p. 123 (bas)   Ils sont alignés soigneusement par taille. Ici c'est presque la fin de la ligne, 1949.

p. 124-125   Un homme de la tribu joue du *Hamogo,* une trompe taillée dans l'extrémité d'une défense d'éléphant et gainée d'une peau de queue de bœuf, 1949.

p. 126   Une femme du village appelle les gens de la tribu à se rassembler, février 1949.

p. 127   L'homme-médecine appelle les guerriers à la cérémonie, 1949.

p. 128-129   Le faiseur de pluie monte sur un pylône au centre tandis que la foule tourne autour, 1949.

p. 130   Une adolescente Latuka portant des perles et des ornements de fil métallique, février 1949.

131

Nouba

Le héron

En février, nous avons quitté Yei pour aller vers Juba. Du côté ouest, les eaux du Bahr-el-Arab et du Lol étaient trop hautes encore : nous avons pris la route de la rivière. Pendant 500 miles, elle longe le Nil blanc par la route et la forêt. Sur nos têtes les feuillages tissaient un tunnel épais : nous voyions peu le jour. Dans la boue des crues, les éléphants qui allaient boire imprimaient l'énorme fleur de leurs pattes. Nous avons croisé une fois leur troupe sur la piste défoncée : ils secouaient leurs têtes encore ensommeillées, leurs ventres grondants. Il a fallu vite escalader le bas-côté.

Après Malakal on passe le Nil, et c'est là que le pays change : une terre à coton noir, cuite et craquelée comme un melon de serre. Aux bordures du sable il n'y a plus que des baobabs, des palmiers, des arbres heglig et des ronciers talh.

Puis : trous et crevasses, étendues longues de sable mou, rochers aigus et rochers plats.
Kordofan.

Voici trois siècles ils s'étaient lassés de voir leur pays servir de réserve, leurs fils volés par les marchands d'esclaves venus du nord sur leurs chameaux, et revendus ensuite à Alep et Bagdad. Ils ont préféré s'exclure du reste du monde, ils ont préféré, à la fertilité des plaines, un refuge âpre, un pays fait de sable et de vent, et que le vent érode jusqu'à l'os.

De leurs villages, on ne voit rien d'abord : ils sont couleur de djebel et de même consistance. Leurs huttes ressemblent au sable, comme sculptées à même la montagne, comme un jeu de dés jeté par les dieux. On les distingue à peine des crêtes : 133

certains sont logés au versant des ravins, d'autres accrochés au roc ou perchés sur des galets géants. Un incendie parfois ravage cette sécheresse, et les toits s'embrasent comme de l'étoupe.

Des enfants agiles et maigres comme des chèvres montent et descendent les chemins de pierre. Dans la plaine, des jeunes filles lavent la récolte de tabac. De grandes gourdes jaunes tiennent à plat sur leur tête.

L'eau est boueuse et rare. On aspire une sécheresse brûlante.

Je me souviens surtout du vent, aux étapes, ce murmure continu de sable remué.

Rien qu'une lance, une marmite. Ils vont nus. Ils ont des têtes rondes et rasées sauf quelques touffes, barrées de forts sourcils, des statures de géants. Nous, les étrangers, ils nous dominaient de haut.

Le Mek nous a conviés au sibr : ce n'était pas un spectacle, mais de vrais combats sans quartier, des prouesses rapides et violentes, cruelles comme des jeux de cirque.

Pour se battre sans donner prise, ils s'étaient poudrés entièrement de cendre de bois fine et blanche comme du sucre.

Ils paraissent calmes ici, et le mouvement de leurs muscles se mêle à celui des branches du baobab : on dirait un ballet, on dirait qu'ils se taisent. Mais en fait, ils grondaient. Ils se plongeaient le pouce dans la bouche, et il en sortait un son terrifiant, pareil au cri de l'aigle pêcheur. Les muscles des mollets tremblaient d'impatience, ils frappaient du pied avant de s'empoigner à bras-le-corps.

Ces hommes qui un instant avant conversaient calmement, je les voyais tomber au milieu de la clairière, sonnés d'un coup violent au front. Les massues fracassées jonchaient le sol. On traînait les blessés sous les buissons de ronces. Le sol de midi était chauffé à blanc. La foule hurlait, massée contre les combattants, le cercle défait devenait mêlée. A coups sourds, le sorcier flagellait le sol sec. Quand un guerrier touchait terre, un cri sourd montait, et l'on hissait le vainqueur en triomphe sur les épaules. Les femmes ululaient.

Dans ma mémoire, maintenant, les trois combats : la lutte à mains nues, la lutte aux bâtons, et la plus terrible, la lutte aux bracelets (ils étaient en laiton, à double tranchant, et pesaient plus de quatre livres : de quoi fendre un crâne comme un œuf), se sont 134 mêlés; et les rumeurs des trois villages : Masakin,

Kau, Bouram, ne font plus qu'une. Qu'un, le plein jour des combats, et la lune pleine qui éclairait notre camp.

Ce dont je me souviens surtout, c'est du goût de miel et d'herbes qu'avait le thé brûlant, et du frangipanier qui embaumait.

Non pas leur grondement, mais l'odeur du figuier de Smyrne sous lequel une fois nous avions piqué nos tentes. Pas leur grondement, mais les huttes de roseaux qu'ils avaient tissées de leurs mains pour abriter notre sommeil. La douceur gaie du rythme qu'ils ont battu, au petit matin, en tenant les tambours entre leurs genoux, comme on tapote la joue d'un enfant.

Pas l'ivresse de bière de palme fermentée, mais les fouets de cuir brut dont les femmes battaient le vent, les poignées de main claquantes, l'huile qui perlait à leurs nattes comme des gouttes qui pleuvent, bien après l'averse, d'une branche secouée en passant. Et le flamboiement de leurs corps peints aux couleurs d'automne rouge or et citron. Je n'ai pas oublié la course allongée des lutteurs, le tintement de leurs clochettes, le son lourd du métal massif quand il mordait à même l'os de la tête, ni le sang qui caillait dans leurs dos, ni leurs plaies frottées de poussière, ni la vitesse fulgurante de leurs corps cendreux, marquetés d'argile ou de suie, dont j'avais peine à suivre la vitesse.

Mais quand je pense aux Nouba, je vois surtout les chevilles des danseuses fatiguées qui se tordaient un peu le soir dans le sable, quand elles rentraient au trot, en chantant; les trois œufs posés sur la paume du guerrier, quand après le combat, il est venu à notre hutte pour en faire don.

Et je revois cet autre, qui s'était orné d'un héron entier séché au soleil : en travers des épaules, il avait des ailes.

Légendes

p. 132 Jeune fille Nouba Korongo du Kordofan, Sud du Soudan, février-mars 1949.

p. 135 Le vainqueur du match de lutte, Bouram, 1949.

p. 136 Nouba Korongo entrant dans sa hutte, Kordofan, 1949.

p. 137 Intérieur de la hutte avec un Nouba Korongo surgissant de la porte de la chambre à coucher, 1949.

p. 138-139 Deux Nouba Korongo pilant la *durha* (farine de millet).

p. 140 Les jeunes filles, dont le corps est couvert d'argile et d'huile simsin, dansent avec un fouet de cuir au rythme du tambour, février-mars 1949.

p. 141 Fille de Masakin Tiwal, 1949.

p. 142-143 Lutteurs aux bracelets avec leurs peintures de guerre et leurs bracelets de laiton de quatre livres. Village de Kao-Nyaro, février-mars 1949.

p. 144-145 Lutte aux bracelets entre un homme de Kao-Nyaro et un homme de Fangor devant un baobab. Village de Kao-Nyaro, 1949.

p. 146 Lutteurs Nouba Korongo, février-mars 1949.

p. 147 Nouba Korongo qui se préparent pour un match de lutte. Leurs corps sont couverts de cendre de bois pour une meilleure prise et leurs têtes, rasées. 1949.

p. 148-149 Deux lutteurs se défiant, 1949.

p. 150 Le bouffon de la tribu, Bouram, 1949.

p. 151 L'homme-médecine Nouba Korongo éloigne les mauvais esprits des lutteurs, mars 1949.

p. 152 Lutteur aux bracelets défiant un adversaire de la tribu de Fangor, 1949.

Soudan

Mémoire (2)

La première fois, il était au Soudan avec Leclerc.
Après la prise de Kufra, il est revenu à Abicher. De
là, il a traversé le Soudan entier au volant, un
voyage interminable d'El Fasher à El Obeid, à
Karthoum et à Sennar, jusqu'à l'Éthiopie. Il s'est tenu
au nord de la latitude 10 nord, qui par Malakal
divise le Soudan en deux.

J'ai pris là l'amour du désert, du Sahara que je
n'avais jamais vraiment vu. Ce n'est que plus tard
que j'ai découvert les grottes et les dessins gravés
dans la pierre, les serpents et les animaux de toutes
sortes. Mais là — cela je ne l'avais pas vu. J'ai
seulement pris un goût immédiat pour ces vastes
espaces vides. L'effet que ça fait — c'est difficile à
expliquer : pourquoi certains prennent-ils l'amour
fou de la mer? pourquoi certains en ont-ils peur,
quand d'autres traversent l'Atlantique en barque?
C'est presque la même chose.

Bilad-es-Soudan, « la Terre des Hommes noirs ». Le
vide, le vaste. Un désert de rochers et de sable qui
poursuit ceux d'Égypte et de Libye. Un espace
abstrait qui se crispe autour des rares points d'eau,
où l'air est déchiré sans cesse, tantôt par les vents du
nord, tantôt par les tempêtes de sable. Un espace où
s'ouvrir à l'espace, où abandonner les symboles
étroits comme un serpent qui mue. Un océan sans
cartes dont les dunes glissent, dont les rares
végétations se déplacent au gré des pluies. Ici, une
rencontre est un événement, une minute peut durer
bien plus.
Plus bas, entre Kharthoum et le Bahr-el-Ghazal, la
steppe se transforme peu à peu en savane.

Après-guerre, à mon retour, j'ai découvert le sud,
plus peuplé et plus luxuriant : Kajo-Kaje et ses 155

plantations de café, Yei, son murmure incessant d'insectes, son moutonnement infini de broussailles.

Avec la Land-Rover, sans itinéraire préconçu, j'étais aussi nomade que les éleveurs de bétail. Il fallait profiter de la saison sèche. Le seul problème, c'était les éléphants : quand les troupeaux empruntent pour aller boire les passages encore détrempés par les grandes pluies, ils s'enfoncent et puis retirent leurs pattes en avançant : la glaise cuit au soleil et la route est ponctuée de trous d'un mètre de fond. *A Mogren-el-Bohair — la Bouche des Courants —, là où les deux Nils se joignent, leurs eaux limpides abritent des poissons-tigres qui nagent comme un songe. Le fleuve maigre et large tranche des rives ocre, grises, parcourues d'ibis, de grues et d'aigrettes. Kosti, Melut, Abongi, Nimule. Au-delà de Bor, son cours disparaît sous une carapace de papyrus.*

Je ne sais pas comment les pilotes s'y retrouvent : les îles flottantes se déplacent sans cesse, on ne voit pas où est l'eau libre. Dans un bruissement de papyrus, on glisse entre des lacs couverts de jacinthes et de nénuphars, dans un infini d'eau et d'herbes. Sur les archipels de terres émergées, il y a des prairies où les bergers font paître. On les voit, hauts de plus de deux mètres, debout sur une jambe, le pied libre reposant sur l'autre genou, comme des flamants des marécages : c'est qu'on arrive au sud de Malakal, vers Duk Fadial et Duk Faiwit. C'est le territoire des Nuer et des Dinka.

A l'aube j'ai approché l'un de leurs villages, édifié sur une colline, à l'abri des crues du Nil. Des peaux rougeâtres séchaient sur l'herbe. Au-dessus des cases de chaume et de torchis, la fumée épaisse des feux de bouse s'élevait, éloignant les moustiques et les mouches tsé-tsé. Les gamins dormaient à tour de rôle sur une plate-forme, au-dessus des enclos circulaires où sont gardées les vaches watussi : ils sont chargés de ranimer les feux. *Leur vie se fonde sur leurs bêtes; ils nomment leurs femmes des mêmes noms, creusent leurs cornes en cuillers et en coupes, taillent leurs outils dans les os, et dans le cuir leurs sacs, leurs courroies et leurs boucliers. C'est dans un suaire de cuir qu'ils retournent à la terre, gardés par les cornes immenses de leur animal préféré.*

Leurs tribus rassemblées ont dansé pour nous : c'étaient de grands bonds frénétiques, sans rythme et sans figures, où leurs corps très longs se propulsaient en l'air par une poussée violente, rigide, des chevilles. Ils étaient nus, sauf de larges ceintures de perles bleues. Leurs cheveux en volume, casqués de bouse orange, étaient taillés à vif, en courbes abruptes comme des haies de buis. En écho aux tamtams, des cloches de la taille d'un enfant résonnaient d'un tintement profond.

N'était-il pas étrange, après cela, de visiter au sud les écoles de missions ? Il a suivi les groupes de fillettes qui partaient de chez elles nues : en chemin, elles cueillaient des feuilles et s'en faisaient chaque matin une jupe fraîche. Les écoles n'étaient riches que d'un seul livre, parfois d'un tableau noir. Sous le ciel, les enfants accroupis traçaient les lettres d'un doigt hésitant, dans la poussière.

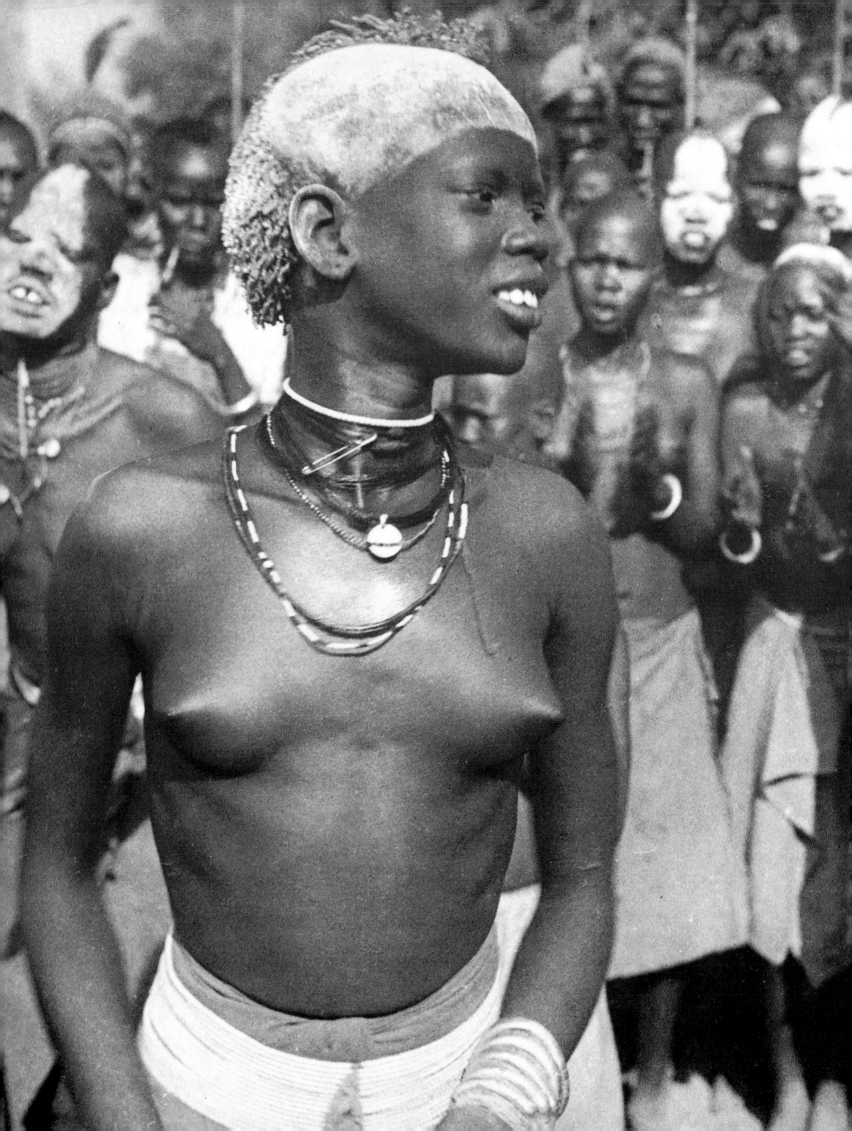

Légendes

Masaï

Au sud de Mara

Rien qu'une aube entre l'âge d'adolescent et l'âge d'homme
mais c'est la plus longue,
Seulement quinze heures de route entre Nairobi
dont le nom en masaï veut dire Eau douce et leur village,
mais il a fallu quarante ans quinze voyages l'ami ancien
retrouvé par hasard en Europe
pour que le miracle se produise
que le mur des lances se desserre
que les bouches s'ouvrent sur un sourire
et que l'homme blanc avec sa boîte attrape-temps
soit accueilli par le plus vieux des guerriers
(qui aime bien la liqueur bagha)
par le médecin dont le crâne luit comme une outre de cuir,
un chapeau,
par les adolescents farceurs par les femmes parées
par les petites filles dont les cheveux coupés ras
révèlent des têtes défiantes et rondes
par toute la tribu qui vit au sud de Mara
dans leurs terres que les blancs appellent réserves.
Tu aimerais photographier les Masaï ? Une cérémonie
peut-être ? C'est mon peuple, tu sais.
— Je t'entends bien ?
— Tu m'entends, M'zee.
(alors son sang a battu plus vite).
(A la fin il n'y avait plus de route. Au dernier arrêt
ils ont chargé la Landrover avec des barils d'huile des
sacs de farine et de sucre des ballots d'étoffe,
et là-dessus, trois guerriers Masaï et leurs lances,
quatre femmes et leurs bébés).
Les épineux les herbes sèches montaient jusqu'aux vitres
les acacias se découpaient noir sur noir dans la nuit
les cigales grattaient un plafond d'étoiles.
Deux heures de sommeil et à quatre heures du matin
l'ami a dit : partons. Le village est à une heure d'ici
encore. La cérémonie doit commencer tôt : la croyance veut
que l'on saigne moins avant le lever du soleil.
Quelle cérémonie ? Il ne sait pas. Où est-il ?
On lui dit seulement :
Au sud de Mara.
Les Masaï sont fiers et leurs membres si longs

qu'on croit voir glisser de gracieux fantômes
quand ils marchent.
A l'entrée du village les femmes trayaient le lait
dans leurs gourdes.
On lui a dit bonjour en effleurant le bout de ses doigts.
On lui a fait place dans le cercle. Il s'est accroupi
dans la poussière, poussant quelques-uns des épaules,
regardant par-dessus la tête d'un homme, un autre
homme appuyé sur son dos regardant par-dessus sa tête.
Il maudissait le manque de lumière.
Les adolescents balançaient le buste doucement.
Alors il a compris pourquoi il était venu,
il a vu ces choses
qui n'étaient pas prévues pour ses yeux
dans une piètre lumière d'aube avec à peine
quelques lueurs oranges qui traînaient à l'est.
L'adolescent s'est allongé sur une peau de vache,
il a ouvert les jambes.
Les rires et les moqueries se sont tus.
La peau du sexe fut étirée sous les doigts du médecin
et tranchée avec un petit couteau ordinaire
sans que frémissent les traits du visage de l'initié.
Il a vu la fumée du feu rituel, la petite flèche déco-
chée dans la veine vitale de la vache, la gourde collée
à la veine, le sang frais versé
entre les lèvres de l'initié.
Il a vu
les bonds prodigieux des hommes leur colliers qui
tintaient la force des chevilles poussant vers le haut
bras aux flancs les rebondissements dans la poussière.
Au milieu du cercle. Au rythme des voix. Sans un tambour.
Il a vu, nous voyons : les Masaï qui n'ont rien
que quatre huttes de boue au bout de la brousse
et leur beauté
de corps,
leur visage comme une corolle au bout du cou
sous l'auvent de leur coiffe de cannes et de plumes,
que leurs troupeaux dont ils boivent
le lait au pis, le sang au cou,
que la force immense pliée dans leurs membres.

Les hommes ont noué l'étoffe noire aux aisselles de
l'initié,
les femmes ont planté les pousses à l'entrée de la hutte,
les petites filles ornées de coquilles et de perles
arc-en-ciel concentriques
rient et jouent et attendent
que cicatrise celui qui
est devenu un homme ce matin
une heure avant l'aube.

Le soleil est déjà haut.
Il a vu
nous voyons
par ses yeux
ce qui était une fois
sans doute ne sera plus
(sang surgelé, lait pasteurisé)
Il-doinyo lemetumo,
à bientôt.

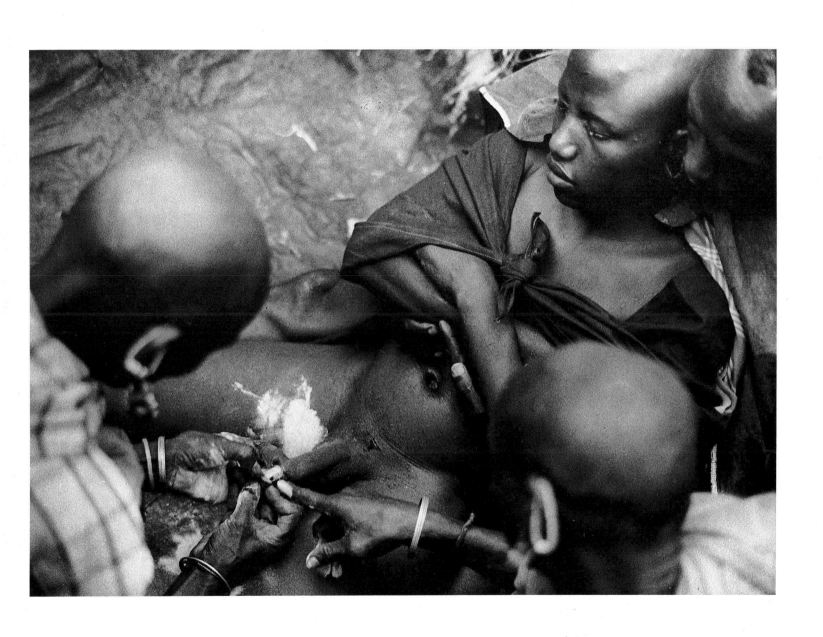

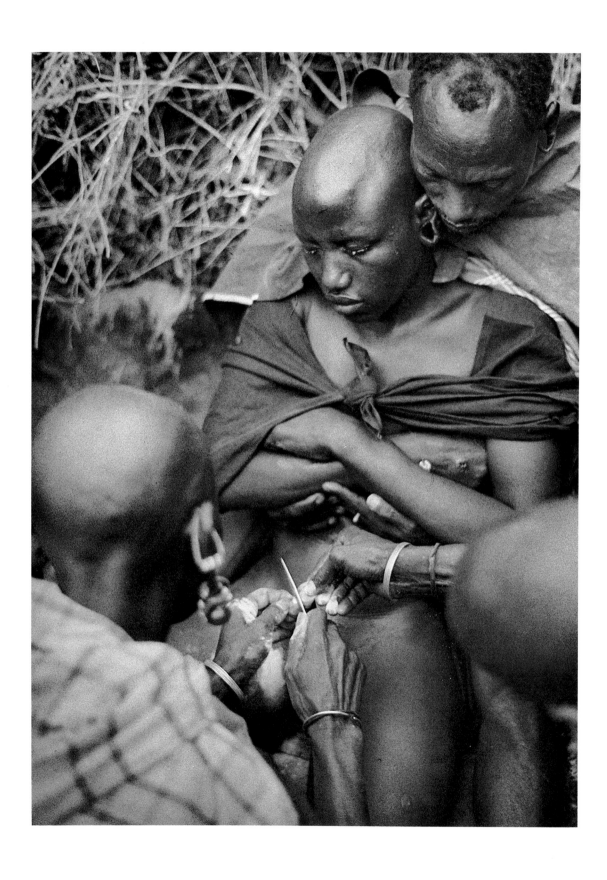

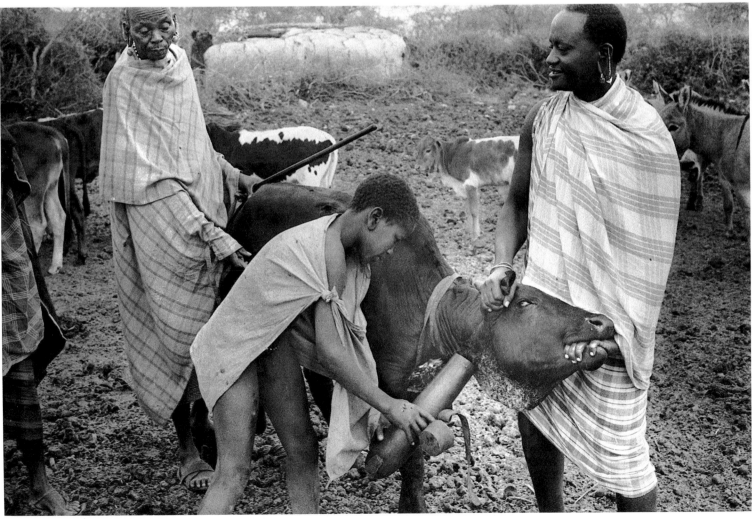

Légendes

p. 170   Une jeune N'dito montrant sa coiffure et ses bracelets de cérémonie.

p. 173   « Jeune guerrier » (Keliani) portant la coiffe à plumes Olemasari et la cape noire, 1980.

p. 174-175   Deux « jeunes guerriers » dont la peinture faciale indique qu'ils prennent part à la cérémonie de circoncision, 1980.

p. 176   « Jeune guerrier » en chemin pour la cérémonie de circoncision.

p. 177   « Guerrier aîné » qui a terminé la période de trois mois dite Olebatani et mis de côté sa coiffe. Il est connu alors sous le nom de Bodaligi, 1980.

p. 178   Le jeune initié, qu'on appelle Laioni depuis la naissance jusqu'au moment de la circoncision, est raillé par les jeunes « guerriers » de la tribu, 1980.

p. 179-180   La circoncision.

p. 181   L'Oncle (frère de sang du père) de l'initié tient le nouveau « guerrier », à demi conscient après l'opération. A présent sa cape noire est nouée sous les aisselles, 1980.

p. 182   Le Docteur (Alamoratani), après avoir fait l'opération, a repris son costume Masaï traditionnel d'aîné Qolagigi, 1980.

p. 183 (haut)   Après l'opération, le nouveau « jeune guerrier » doit être ranimé en buvant du sang chaud. Un nouvel « aîné » (Bodaligi) tire une flèche dans la veine jugulaire d'une petite vache, 1980.

p. 183 (bas)   Le sang est recueilli dans une gourde par un jeune frère de l'initié, un Laione, 1980.

p. 184   Les danseurs Masaï bondissent en l'air en poussant avec les chevilles, le corps raide, sans musique ni tambours.

p. 185   L'eau est rare dans le 'Nkang et elle est soigneusement rationnée par les femmes pour les besoins de la cérémonie. Kenya, 1978.

p. 186-187   Deux nouveaux « aînés » (Bodaligi) en conversation en dehors du village.

p. 188   Une fille N'dito ni mariée ni circoncise encore, 1980.

Biographie

Né en 1908 dans le Cheshire (Grande-Bretagne), George Rodger n'aime pas l'école et devient marin dans la marine marchande. Il se rend ensuite aux États-Unis où il est successivement machiniste, trieur de laine, mécanicien et fermier avant d'acheter un appareil photo d'occasion. Il retourne en Angleterre en 1935 et obtient un travail de photographe pour la BBC (1936-1938).

1938 : il quitte la BBC et devient photographe free-lance pour l'agence Black Star : commandes pour le *Tatler, Sketch, Bystander, Illustrated London News.*

1939 : engagé par *Life*, il travaille pour ce magazine jusqu'en 1945 tout en publiant également dans *Picture Post* et l'*Illustrated* des reportages sur la libération des territoires d'Afrique occidentale par les FFL.

Il se met à écrire lui-même les textes de ses reportages pour *Time* magazine. Il se rend à Burma, en Afrique du Nord, en Sicile, à Salerne, en France le jour du débarquement, en Allemagne où il est le premier à pénétrer dans le camp de Bergen-Belsen (pour *Time*). Déçu par l'ambiance des bureaux de *Time-Life* après la guerre et écœuré par la violence, il se fait licencier du journal. En indépendant, il se rend au Moyen-Orient en 1947. La même année, il cofonde l'agence Magnum Photos avec Robert Capa, Henri Cartier-Bresson, David Seymour « Chim » et Bill Vandivert.

Il travaille au Moyen-Orient, au Congo, en Égypte, au Soudan. Peu à peu il se détourne complètement des sujets violents et témoigne de modes de vie encore préservés, en union avec la nature. Il voyage énormément en Afrique (plus de quinze voyages entre 1947 et 1980) : Kenya (Masai), Soudan (Nouba), Ouganda (Pygmées), etc. Pour un projet de Magnum, *People are People the World Over*, il photographie des familles en Inde, en Égypte et au Soudan. 1954 : il travaille à un projet de groupe inspiré par Capa, *Generation X*, sur les enfants nés après-guerre. Ensuite il travaille pour la Standard Oil Company et pour Esso au Moyen-Orient, en Afrique et en Éthiopie. Il voyage en Centrafrique ainsi que dans le Sahara et publie dans le *National Geographic,* avec des textes de sa seconde femme Jinx Rodger *les Éléphants ont priorité,* puis des photos du désert et de la tribu des Touareg.

Ces dernières années, Rodger, qui vit dans le Kent, travaille en indépendant, gérant une partie de ses archives dont l'autre partie est à Magnum.

Principales expositions

Memorable Life Photographs, MOMA, New York 1951.

Family of Man, MOMA, New York, 1955.

Personal Views 1850-1970, British Council, Londres, 1972 (exposition itinérante en Grande-Bretagne).

The Photographers' Gallery, Londres, 1974 (exposition itinérante par l'Arts Council of Great Britain).

Canterbury Library, SE Arts Association, 1976 (exposition itinérante).

University of South Africa, Le Cap, Afrique du Sud, 1978.

The Land, Victoria and Albert Museum, Londres, 1978.

This is Magnum, Tokyo, 1979.

Masai Moran, The Photographers' Gallery, Londres, 1979 (exposition itinérante de l'Arts Council).

Masai Moran, FNAC Montparnasse, Paris, 1979 (exposition itinérante en France).

Magnum-Photos, Sainte-Ursanne, Suisse, 1980.

Paris-Magnum, musée du Luxembourg, Paris, 1981-1982 (exposition itinérante en France et aux USA).

L'Afrique de George Rodger, Premier Festival africain de la ville de Grenoble, Bibliothèque de prêt, Grenoble, 1982.

Bibliographie

Red Moon Rising, Londres, Cresset, 1943.

Desert Journey, Londres, Cresset, 1943.

Far on the Ringing Plain, New York, Mc Millan, 1943.

Village des Nouba, Paris, Éditions Neuf, 1955.

Creative Camera, mars 1969, « Random Thoughts by a Founding Father : Beginnings of Magnum », Londres.

Album n° 8, Londres, 1970, « A Letter to My Son ».

Reporter n° 10, Paris, 1973, « Souvenirs en vrac d'un membre fondateur de Magnum ».

George Rodger, Monograph, texte d'Inge Bondi, Londres, Fraser, 1974.

World of the Horse, texte de Judith Campbell, Londres, Octopus Books, 1975.

Dialogue with Photography, Hill et Cooper, New York, Farrar, Straus & Giroux, 1979.

Photomagazine, Paris, novembre 1981, « George Rodger raconte Magnum », interview de C. Naggar.

Catalogue *George Rodger en Afrique*, texte de C. Naggar, Festival africain, Grenoble, 1982.

Dictionnaire des photographes, Paris, Le Seuil, C. Naggar, 1982.

Photogravure Bussière arts graphiques, Paris

Achevé d'imprimer
au mois de juillet 1984
sur les presses de l'imprimerie SADAG à Bellegarde.